PRINCESSE
Academy
Les Tours de Diamants

Princesse Élise
et le Pique-nique des Roses

*À tous les merveilleux princes et princesses rencontrés
à Malte, avec affection, V.F.
Remerciements spéciaux à J.D.*

Cet ouvrage a initialement paru en langue anglaise en 2009
chez Orchard Books sous le titre :
Rose Petal Picnic.
© Vivian French 2009 pour le texte.
© Orchard Books 2009 pour les illustrations.

© Hachette Livre 2013 pour la présente édition.

Adapté de l'anglais par Natacha Godeau.

Mise en page et colorisation : Valérie Gibert et Philippe Sedletzki.

Hachette Livre, 43, quai de Grenelle, 75015 Paris.

Vivian French

Princesse Élise
et le Pique-nique des Roses

PRINCESSE
Academy
Les Tours de Diamants

Institution

pour Princesses Modèles

Devise de l'école :

Une Princesse Modèle
est honnête, aimable
et attentionnée.
Le bien-être des aútres
est sa priorité.

Les Tours de Diamants abritant une ferme, une réserve d'animaux sauvages, un parc et une clinique vétérinaire, notre programme inclut :

- Une préparation au Concours des Prés
- Une excursion à la Bambouseraie Royale
- Un stage à la ferme
- Une randonnée à dos d'éléphant

Notre directeur, le Roi Percy Ier, habite la tour principale. Nos élèves sont placées sous la surveillance de Marraine Fée, l'Enchanteresse en chef.

Liste des professeurs :

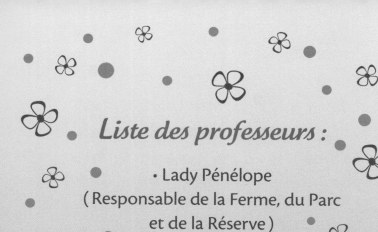

- Lady Pénélope
(Responsable de la Ferme, du Parc
et de la Réserve)

- La Reine Mère Matilda
(Maintien et Bonnes Manières)

- Fée Angora
(Assistante de Marraine Fée)

- Docteur Jade
(Chargée des Animaux)

- Lady Sally
(Directrice de la Garderie Animalière)

Les princesses sont notées à l'aide de
Points Diadème. Les meilleures élèves
reçoivent leur Écharpe
de Diamant à l'occasion du Bal
de Fin d'Année. Elles peuvent
ensuite s'inscrire au Palais d'Or afin
d'y parfaire leur éducation.

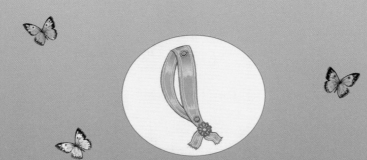

Le jour de la rentrée,
chaque princesse est priée
de se présenter munie de :

- Dix tenues de bal
- Cinq ensembles de jour
- Sept robes de cocktail
- Cinq paires de chaussures de fête
- Une paire de bottes d'équitation
- Une paire de bottes en caoutchouc
- Un imperméable
- Dix paires de chaussettes épaisses

La Chambre des Tulipes

· Princesse Bettina
sait surmonter
ses peurs

· Princesse Mina
peut faire mille
choses à la fois

· Princesse Karine
ne renonce jamais

· Princesse Agathe
a du caractère

· Princesse Lalie
est douce et
déterminée

· Princesse Romy
relève tous les défis

SANS OUBLIER...

· Les jumelles Précieuse et Perla,
les pires chipies de l'école !

Bonjour ! Je suis Princesse Élise !
Tu connais sûrement déjà Princesse Flora,
ma sœur jumelle. On se ressemble en tout...
sauf que je suis beaucoup plus timide qu'elle.
Mais heureusement, nos amies de la Chambre
des Tulipes sont toutes très gentilles !

La bonne nouvelle, c'est que nous avons gagné
le Concours des Fées. Nous serons donc
Princesses d'Honneur de Fée Angora,
le jour où elle recevra son diplôme...

Chapitre premier

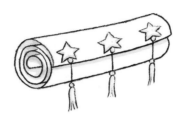

Oh là là, j'ai le trac ! Le Pique-nique des Roses approche, et j'ai de plus en plus peur...

— Du calme, Élise, il n'y a pas de raison de s'inquiéter, répète Flora.

Mais je n'y peux rien, je suis comme ça ! Avec les princesses de la Chambre des Tulipes, nous avons composé le menu du pique-nique dansant qui sera donné en l'honneur de Fée Angora, pour célébrer la remise de son Diplôme de l'Université des Fées. C'est moi, qui ai eu l'idée des petits-fours aux pétales de rose... alors ce serait vraiment horrible si la fête était gâchée par ma faute !

— Tiens, voici Élise-la-super-pâtissière-des-fleurs !

Ces deux pestes de Précieuse et Perla sont insupportables. Elles se moquent de moi dès qu'elles me croisent dans le couloir !

— Tu vas confectionner le meilleur-gâteau-de-l'univers pour Fée Angora ! persiflent-elles en s'éloignant.

Je leur ai expliqué au moins mille fois que je ne préparais

pas de gâteau, mais elles insistent malgré tout et, je l'avoue, ça m'énerve de plus en plus ! Mais soudain, j'ai une grande idée : et si j'en préparais un quand même ?

J'en parle à Flora et à mes amies de la Chambre des Tulipes. Bettina s'exclame, l'œil brillant :

— Fantastique ! Ce serait une merveilleuse surprise !

— Tu pourrais lui donner la forme du diplôme de Fée Angora, suggère Lalie.

Agathe renchérit :

— Oh oui ! Un gros parchemin à la crème, décoré de pétales de rose !

— Mais si le diplôme n'est pas un parchemin ? remarque Karine.

— Allons demander à Marraine Fée ! lancent en chœur Mina et Romy.

Vite, nous courons à son bureau. La classe va bientôt

commencer, il n'y a pas une seconde à perdre ! Flora frappe à la porte. Une grosse voix crie « Entrez ! » et nous obéissons. Mina prend la parole :

— Excusez-nous de vous déranger, Marraine Fée, mais Élise va faire un gâteau pour Fée Angora, et nous aimerions qu'il représente son diplôme. Vous pouvez nous dire à quoi il ressemble ?

L'Enchanteresse en chef paraît hésiter un instant. Puis elle se décide :

— Je peux vous le montrer... à condition que vous gardiez le secret !

— Promis, Marraine Fée !

Elle ouvre un grand placard, et en sort un parchemin scintillant. Il s'agit d'un rouleau épais, bordé d'étoiles en cire auxquelles se balancent des pompons roses. C'est très impressionnant !

— Voici le Diplôme de Fée Angora, dit l'Enchanteresse. Il est beau, n'est-ce pas ? Je compte maintenant sur votre discrétion la plus absolue...

— Oh oui, Marraine Fée !

Flora ajoute :

— Nous ne dirons rien à personne. Et notre gâteau, aussi, doit rester une surprise !

— Bien sûr, répond Marraine Fée. Motus et bouche cousue !

Nous sortons du bureau. Au même moment, les jumelles Précieuse et Perla arrivent d'un bon pas.

— On vient d'avoir une idée formidable, pour la fête de Fée Angora ! annonce Précieuse. Comme tu ne fais pas de gâteau, Élise, on va en faire un nous-mêmes ! Et il sera...

— Chut ! l'interrompt Perla. N'oublie pas, Précieuse : c'est top secret !

Sur quoi, elle frappe à la porte du bureau de Marraine Fée.

Nous entendons l'Enchanteresse leur dire d'entrer, et nous
voyons les jumelles se précipiter
à l'intérieur en claquant la porte
derrière elles. Romy bredouille :

— C'est affreux ! Il va y avoir
deux gâteaux-surprises, pour

la remise du diplôme de Fée
Angora... À votre avis, que dira
Marraine Fée à Précieuse et à
Perla ?

— Moi, j'ai confiance en elle,
affirme Karine. Elle trouvera les
mots sans nous trahir !

Puis nous fonçons en Classe de Cuisine : nous ne voulons pas rater le début du Cours de Pâtisserie !

Chapitre deux

Nous entrons en classe.

— Bonjour, Lady Victoria !

— Bonjour, mes chères prin-cesses !

Notre professeur noue son tablier rayé autour de sa taille.

— Comme vous le savez,

le Pique-nique des Roses a lieu cette semaine, il est donc temps de nous en occuper sérieusement, annonce-t-elle. Aujourd'hui, nous allons confectionner des pétales de rose confits.

Elle se tourne alors vers moi.

— Princesse Élise, veuillez noter la recette au tableau.

Je me sens rougir comme une pivoine. Écrire debout devant tout le monde, quelle angoisse ! Je tâche de ne pas trembler, lorsque Précieuse et Perla arrivent en s'excusant d'une même voix :

— Pardon d'être un peu en
retard, Lady Victoria !

Elles sourient d'un air satisfait.
Perla précise :

25

— Nous étions avec Marraine Fée. Nous avons eu une idée fabuleuse, pour le Pique-nique des Roses : un gâteau-surprise pour Fée Angora. Bien sûr, cela doit rester un secret...

Les élèves promettent en chœur de ne rien révéler à personne, et Perla continue :

— Même Marraine Fée ignore les détails de notre projet. Nous voulons faire un gâteau assez grand pour que, ma sœur et moi, nous puissions nous cacher à l'intérieur. Et nous en surgirons en lisant un poème juste avant que Fée

Angora ne le coupe. Elle va être tellement contente !

Lady Victoria fronce les sourcils.

— Un tel gâteau devra être énorme, prévient-elle. Si énorme que cela me paraît irréalisable. Il faut qu'une seule d'entre vous se cache à l'intérieur.

— D'accord, ce sera moi ! s'exclame Perla.

— Et pourquoi ça ? proteste Précieuse, folle de colère. Je veux surgir du gâteau !

— Non, moi !

— Non, moi ! Toi, tu n'auras qu'à lire le poème !

Les poings sur les hanches, Lady Victoria se fâche :

— Princesse Perla, Princesse Précieuse ! Votre comportement n'est pas digne de Princesses

Modèles : on ne se chamaille pas en classe, voyons ! Je vous retire trois Points Diadème.

Ces pestes de jumelles se taisent aussitôt et gagnent leur place, la mine renfrognée.

— Princesse Élise, reprenez, s'il vous plaît, ordonne Lady Victoria.

Je termine de marquer la recette au tableau. J'ai très peur de m'être trompée dans les ingrédients mais ouf ! à la fin, les pétales cristallisés sont très réussis.

— Excellent travail ! félicite Lady Victoria en inspectant les plateaux. D'ici le jour du

pique-nique, le sucre aura
complètement séché et nos
confiseries seront délicieuses !

Elle relève la tête vers la classe.

— Je vous décerne à toutes cinq Points Diadème. Demain, nous préparerons la limonade rose bonbon. Vous pouvez aller en récréation !

Précieuse et Perla recommencent à se disputer, aussi nous préférons nous éloigner, Flora, moi et nos amies de la Chambre des Tulipes. Nous décidons de passer voir les cochons nouveaunés, à la ferme de l'école. Mais Marraine Fée nous arrête sur le perron.

— Ah, mes chères princesses, je vous cherchais justement !

Elle me prend le bras, sort dans le parc avec nous, et dit enfin :

— Vous vous étonnez certainement que je n'aie pas empêché les princesses Précieuse et Perla de préparer un autre gâteau pour Fée Angora... Mais pour une fois qu'elles pensaient à faire plaisir à quelqu'un d'autre qu'à elles-mêmes, je n'ai pas voulu les décourager !

Nous hochons la tête. Elle reprend :

— J'ai tout prévu, rassurez-vous. La Cérémonie de Remise de Diplôme se déroulera sous la tonnelle de la roseraie, où toute l'école se rendra en rang. Après le discours du Roi Percy, je remettrai le parchemin à Fée Angora, et les princesses Précieuse et Perla apporteront leur gâteau. Ensuite, le Roi Percy conviera l'assemblée au Pique-nique des Roses. Je demanderai alors la parole afin d'annoncer une nouvelle surprise pour Fée Angora, et Princesse Élise lui offrira votre gâteau. Cela vous convient-il ?

Je frissonne. Je suis beaucoup trop timide pour présenter le gâteau devant tant de monde ! Heureusement, Flora vient à mon secours :

— Pardon, Marraine Fée, mais on aimerait bien offrir le gâteau toutes ensemble.

— Oh, bien sûr, mes chères princesses. Ce sera encore plus charmant ! Et maintenant, rentrez vite, ou vous manquerez le début de votre prochaine leçon !

Je suis si soulagée de ne pas
avoir à donner moi-même le
gâteau, que je me réjouis presque
d'avoir Cours de Maintien et
Bonnes Manières avec la Reine

Mère Matilda... Elle est pourtant le plus strict de nos professeurs ! Mais, lorsqu'à la fin de la leçon elle déclare : « Princesses de la Chambre des Tulipes, ne sortez pas de classe, j'ai à vous parler », j'ai l'impression que je vais m'évanouir de terreur !

— Vous serez les Princesses d'Honneur de Fée Angora, lance-t-elle, et le Roi Percy m'a chargée de veiller au bon déroulement de ce grand événement. Nous répéterons en fin de journée. Le jour de la cérémonie, vous traverserez le parc deux par deux, un panier plein de pétales

de rose à la main. Une fois à la
tonnelle, vous monterez sur
scène auprès de Fée Angora, et
vous l'arroserez de pétales avant

que le Roi Percy ne prononce son discours.

Elle s'interrompt un instant, l'air satisfait, puis conclut :

— Oui, cette petite mise en scène sera du plus bel effet... À présent, filez en Salle de Haute-couture Royale : la Grande-Duchesse Délia vous y attend !

Chapitre trois

Tu te rends compte ? Nous allons avoir une tenue spéciale, pour la cérémonie ! De magnifiques robes en taffetas rose avec jupons assortis, ainsi que de somptueuses chaussures ornées de boutons de rose. La Grande-

Duchesse Délia vient de nous les faire essayer, et quelle chance : tout nous va à merveille !

— Parfait, vous serez des Princesses d'Honneur très élégantes ! approuve notre professeur.

Nous la remercions avec joie, quand Précieuse et Perla se glissent dans la salle.

— J'aimerais vous commander une robe sur mesure pour la fête, Grande-Duchesse Délia ! minaude la première.

— Précieuse veut dire qu'on aimerait toutes deux vous commander une robe sur mesure pour la fête, s'empresse de corriger Perla.

La couturière royale refuse poliment :

— Pardon, mais je n'ai pas le temps. Je dois d'abord terminer celle de Fée Angora.

Elle désigne une robe magnifique, dans l'angle de la pièce. Elle est bleu ciel, avec un nœud de satin à la taille et une large jupe à crinoline. Les jumelles écarquillent les yeux d'envie !

— Qu'elle est belle ! souffle Précieuse, médusée.

Sa sœur l'entraîne alors d'un geste impatient.

— Viens vite, on doit écrire
à Mère pour qu'elle nous en
envoie une semblable dans notre
taille !

Elles s'éloignent rapidement
dans le couloir. La Grande-
Duchesse Délia pousse un sou-
pir, avant de jeter :

— Bien, mes chères princesses.
Changez-vous, rangez vos robes

dans la penderie, et allez déjeuner.

— Oui, Grande-Duchesse Délia. Encore merci, et au revoir !

Nous gagnons le réfectoire. En nous installant à table, Agathe me chuchote :

— Dis, Élise, le gâteau de Fée Angora, tu le feras quand ?

— Demain, après les cours, je réponds.

Hélas, le lendemain soir, la Reine Mère Matilda exige que nous répétions à nouveau la cérémonie. Et le jour d'après, c'est Oncle Percy (tu te souviens que le directeur est notre oncle, à Flora et à moi ?), qui nous prie d'aller choisir des fleurs à la roseraie pour enjoliver la tonnelle. À ce rythme-là, mon gâteau ne sera jamais prêt !

En revanche, les préparatifs du Pique-nique des Roses vont

bon train. Limonade, mousse au chocolat parfumée à la rose, biscuits nappés, gelée de pétales de rose : il n'y a plus qu'à les déguster ! Une chance que tout se soit bien passé pendant les Cours de Cuisine... et ce n'est pas grâce à Précieuse et Perla ! Ces deux chipies ont utilisé tous les pétales de rose cristallisés pour décorer leur énorme gâteau ! Au moins, elles ne se disputent plus car elles ont réussi à se mettre d'accord : Perla surgira du gâteau, tandis que Précieuse lira le poème.

— Ça va être sensationnel ! On obtiendra des dizaines de Points Diadème ! se vante Perla.

La veille du grand jour, avec mes amies, nous pouvons enfin nous occuper du gâteau. Ce n'est pas trop tôt ! Mais comme nous n'avons pas pu essayer la recette avant, le résultat est décevant... Lady Victoria nous aide à cuire le gâteau dans le four, puis elle nous laisse nous débrouiller. Et j'ai beau m'appliquer, je ne parviens pas à donner une forme de parchemin à la pâte ! Je murmure, catastrophée :

— Quel désastre !

— Mais non, Élise...

Agathe me passe un bras réconfortant autour du cou.

— Je suis sûre qu'avec le glaçage, tout s'arrangera !

Soudain, Karine suggère :

— Et si on renonçait à rouler le gâteau ? On pourrait plutôt lui donner la forme du nœud de satin de la robe de Fée Angora !

— C'est vrai, regardez : il y ressemble déjà ! s'exclame Romy.

— En le saupoudrant de paillettes de chocolat argentées, ce sera encore mieux, ajoute Mina.

Mes amies me redonnent du courage. Je sors les ingrédients du placard, et à nous toutes, nous ne tardons pas à transformer notre gâteau en nœud de satin, recouvert d'un glaçage bleu cassis et de paillettes d'argent.

Je l'avoue : cette fois, je suis fière du résultat ! Lalie applaudit :

— Hourra ! Fée Angora sera enchantée !

Le temps de remettre ensuite un peu d'ordre dans la cuisine, et il est déjà l'heure de monter se coucher. Nous plaçons

soigneusement notre gâteau au réfrigérateur, puis nous nous dirigeons vers le dortoir en bâillant. Mais, en passant devant la chambre de Précieuse et Perla, nous remarquons que la porte est ouverte et apercevons deux robes, suspendues

au pied de leurs lits : elles ressemblent exactement à celle de Fée Angora... mais en rose ! Karine roule des yeux.

— Pincez-moi, je rêve !

— Elles ont même une crinoline sous le jupon, souffle Lalie.

Flora croise les bras.

— Vous croyez qu'on doit avertir Marraine Fée ?

— Oh, non : « Une Princesse Modèle ne rapporte jamais ! » Surtout qu'on n'est pas censées espionner Précieuse et Perla...

Agathe a parfaitement raison. Alors nous courons à notre chambre et nous nous couchons comme si de rien n'était. Mais avant de m'endormir, je ne peux pas m'empêcher de penser que Perla aura bien du mal à entrer dans son gâteau, avec une robe à crinoline...

Chapitre quatre

Le lendemain, au réveil, je ne pense plus à rien, sauf que c'est enfin le grand jour ! Oh là là ! Quel bonheur... et quelle angoisse à la fois ! Avec ma sœur et nos amies, nous nous levons plus tôt que d'habitude. Nous descendons prendre notre petit déjeuner avant de nous habiller. Marraine Fée préfère que nous ne tachions pas nos jolies robes ! Par les baies vitrées du

réfectoire, nous apercevons la tonnelle, dans la roseraie. Elle est ornée de guirlandes et de fleurs. Il y a même un drapeau rose qui flotte à la pointe du toit.

— Splendide ! je chuchote, émerveillée.

Ensuite, nous mangeons nos tartines, nous buvons notre chocolat chaud, et nous remontons nous préparer. Qu'est-ce qu'on s'amuse, en enfilant nos tenues de Princesses d'Honneur ! Mais il faut nous dépêcher : Marraine Fée vient nous avertir que nous sommes attendues dans dix minutes sur le perron de l'école !

— Soyez prudentes ! nous recommande-t-elle. Il y aura des dizaines de carrosses, dans les allées du parc. Fée Angora reçoit pour l'occasion de nombreux invités.

Je lève la main.

— S'il vous plaît, Marraine Fée, pour notre gâteau, comment on fait ? Il est encore au réfrigérateur...

— Ne vous inquiétez pas, Princesse Élise. Les valets des Tours d'Argent se chargent de l'apporter à la tonnelle. Ils s'occupent aussi de celui des princesses Précieuse et Perla.

Elle hausse un sourcil intrigué et ajoute avec curiosité :

— Elles ne me l'ont pas décrit, d'ailleurs. Savez-vous à quoi il ressemble ?

— Oh oui, Marraine Fée, mais nous avons promis de garder le secret ! nous répondons à l'unisson.

L'Enchanteresse en Chef éclate de rire. Nous rions avec elle, et nous nous rendons sans plus tarder sur le perron. Nous sommes si gaies que nous dansons tout le long du vestibule ! Nos paniers remplis de roses nous attendent dehors, à la porte d'entrée. Nous en ramassons chacune un, et nous plaçons deux par deux pour défiler. Je marcherai à côté de Lalie, dans son fauteuil roulant. Ça me rassure : elle est beaucoup moins nerveuse que moi à l'idée d'être Princesse d'Honneur !

Peu après, Fée Angora nous rejoint devant l'école. Nous retenons notre souffle : comme elle est belle, dans sa robe bleu pâle ! La Reine Mère Matilda nous ordonne alors de l'escorter, et nous traversons ainsi le parc jusqu'à la roseraie. Là, Fée Angora grimpe sur l'estrade, sous la tonnelle. Nous l'accompagnons afin de l'arroser de pétales de rose, comme prévu. C'est extraordinaire ! Les pétales virevoltent gracieusement autour d'elle, avant de se poser avec délicatesse à ses pieds...

Un vrai spectacle de conte de fées ! Oncle Percy monte à son tour sur l'estrade pour réciter son discours. Derrière lui, Marraine Fée sourit d'un air malicieux. Je parie qu'elle a agité sa baguette

magique pour permettre que tout soit aussi parfait ! Quand les Trompettes Royales sonnent la fin du discours, l'Enchanteresse en Chef s'avance pour remettre officiellement son Diplôme à Fée Angora.

— Bravo !

Tout le monde applaudit, dans la roseraie. Fée Angora rougit de joie. Elle s'incline en nous remerciant. Nous continuons d'applaudir. Ses amis l'acclament même ! Au bout d'un moment, Marraine Fée demande la parole. L'assistance se tait aussitôt.

— Chère Fée Angora, deux de nos élèves ont souhaité vous préparer une petite surprise pour marquer ce jour unique...

Elle fait un signe de la main, et Précieuse et Perla s'approchent avec leur gâteau. Ou plutôt : avec *notre* gâteau ! Flora, Mina, Lalie, Romy, Agathe, Bettina, Karine et moi, nous en demeurons bouche bée... Les voleuses ! Sur l'estrade, Fée Angora rougit de plus belle. Elle s'exclame :

— Oh, merci, Princesse Précieuse, merci, Princesse Perla ! Votre gâteau est fabuleux, je n'avais encore jamais rien vu

de tel. Vous avez eu une idée très originale, en décidant de représenter le nœud de ma robe.

J'en perds le souffle : c'est si injuste ! Je meurs d'envie de dire la vérité, mais cela gâcherait la fête de Fée Angora... Brusquement, Marraine Fée se met à me dévisager d'un air interrogateur. Vite, je détourne la tête. Il ne faudrait pas qu'elle remarque mes yeux pleins de larmes !

— Je vous félicite, princesses Précieuse et Perla, déclare Oncle Percy d'un ton majestueux. Votre initiative me ravit.

Vous pique-niquerez au côté de Fée Angora !

Précieuse minaude.

— Quel honneur suprême, Votre Altesse ! Mais d'abord, j'ai un poème pour elle...

Elle attrape une feuille de papier au fond de son sac et commence la lecture :

Chère Fée Angora,
En ce jour si important et si beau,
Nous surgissons de ce gâteau,
Pour mieux vous crier : Hourra !
Votre intelligence et votre bon cœur,
Nous font espérer qu'à toute heure,
Vous serez, des Fées Diplômées,
la meilleure !

Marraine Fée hoche la tête.

— Bien, Princesse Précieuse.
Maintenant, avant de nous
rendre au Pique-nique des

Roses, j'aimerais laisser la place
aux princesses de la Chambre
des Tulipes, qui ont également
une surprise pour Fée Angora.

À ces mots, un valet arrive en poussant un chariot sur lequel se balance l'énorme gâteau de ces pestes de jumelles... et le pire, c'est que la génoise est

complètement déformée ! Je devine facilement ce qui s'est passé : Perla a voulu se cacher à l'intérieur, sauf que sa crinoline était trop large pour entrer, et la pâte a explosé ! Voilà pourquoi, avec sa sœur, elles ont volé notre superbe gâteau !

Tu peux me croire : à cet instant précis, je donnerais n'importe quoi pour tout révéler. Comme si ma timidité s'était enfin évaporée !

Chapitre cinq

Des murmures de reproches envahissent la tonnelle. Puis, les murmures se changent en cris de stupéfaction : une pluie d'étincelles s'abat sur le gâteau qui se met à trembloter, avant de se redresser comme par enchantement... en parfait état ! Je vois Marraine Fée pouffer en rangeant discrètement sa baguette magique dans sa manche. Puis elle tend un couteau à Fée Angora.

— Allez-y, coupez la première part !

— Je regrette de détruire un si bel ouvrage ! réplique la jeune fée avec un sourire.

Elle a à peine plongé la lame dans la crème, que six colombes aux plumes de nacre s'échappent du gâteau ! Elles transportent un voile brodé de roses fraîches. Et sous nos regards ébahis,

elles le déposent avec soin sur les épaules de Fée Angora !

— Nom d'une sorcière ! s'écrie la jeune fée. L'autre gâteau était déjà sensationnel, mais cette seconde surprise est totalement époustouflante !

Marraine Fée intervient :

— Princesse Précieuse ! Pouvez-vous, je vous prie, nous lire à nouveau votre poème ?

Précieuse semble étonnée. Pourtant, elle obéit et articule :

Chère Fée Angora,
En ce jour si important et si beau,
Nous surgissons de ce gâteau,
Pour mieux...

Elle s'interrompt subitement. La main sur la bouche, rouge de confusion, elle balbutie :

— Oh, je me suis trompée ! Je voulais dire : « Nous vous offrons ce gâteau... »

— Tais-toi donc, espèce d'idiote ! C'est trop tard ! hurle Perla.

Elle quitte la tonnelle à grands pas en rouspétant :

— Il faut toujours que tu gâches tout !

— Attends-moi ! supplie sa sœur en s'élançant à sa suite. Je suis désolée !

L'ambiance n'est plus du tout aussi joyeuse, à présent. Par chance, Marraine Fée connaît une fois encore la solution ! Elle brandit sa baguette magique, des étoiles s'envolent sous la tonnelle, des clochettes tintent au

loin, un doux parfum de rose nous enveloppe... Quand il se dissipe, je comprends que tout le monde a oublié ce qui vient de se passer... tout le monde sauf nous ! Vite, les autres princesses nous entourent.

— Félicitations, Fée Angora, lancent-elles. C'était une magnifique cérémonie !

— Vos gâteaux-surprises étaient formidables, princesses !

— Quelle merveille, ces colombes !

Marraine Fée insiste :

— Oui, les Princesses de la Chambre des Tulipes sont de vraies Princesses Modèles. Pour ne pas troubler la fête, elles ont choisi de ne rien dire quand les princesses Précieuse et Perla ont échangé les gâteaux. Je suis très fière d'elles !

Elle nous sourit, et je me sens aussitôt beaucoup mieux. J'ai l'impression d'être quelqu'un de fantastique !

— Merci mille fois, mes chères princesses, ajoute Oncle Percy.

L'assemblée se rend alors au pique-nique. Nous nous asseyons aux petites tables installées dans la roseraie. Puis Oncle Percy s'éloigne, la mine sévère. Je sais

qu'il rentre punir Précieuse et
Perla. Les pauvres ! Mais je dois
l'avouer : je ne m'inquiète pas
vraiment pour elles, je m'amuse
trop au pique-nique ! Il y a

tellement de Fées invitées, et elles
ont tellement d'histoires pas-
sionnantes à raconter ! Et puis,
je suis certaine que Marraine
Fée a lancé un sortilège aux

chocolats à la crème de rose :
plus elle en mange, plus il y en a
dans son assiette !

Bientôt, l'Orchestre Royal
entame une polka. Avec mes

amies, nous sautillons, valsons et pirouettons en riant aux éclats ! Nous dansons jusqu'à la nuit tombée. Et lorsque nous regagnons notre dortoir, épuisées, Marraine Fée et Fée Angora continuent de pirouetter comme de petites folles infatigables !

Chapitre six

Nous sommes dans nos lits, mais nous bavardons encore un peu dans le noir.

— Je viens de vivre la meilleure journée de toute ma vie ! s'exclame Bettina.

— Elle a pourtant failli être la pire, remarque Romy.

Mina soupire :

— Je me demande comment Marraine Fée a su ce qu'avaient fait Précieuse et Perla...

— Elle a tout compris au moment où Précieuse a lu son poème, devine Karine.

— Elle a aussi vu ma tête, quand le valet a apporté notre gâteau sous la tonnelle !

— Oh, ça oui, Élise : tu ressemblais à un poisson hors de l'eau ! rétorque Flora en pouffant.

Bof, après tout, je m'en fiche : ce soir, je suis la plus heureuse de l'univers ! Pour rien au monde je ne voudrais que les choses changent, car avec ma sœur, nous comptons désormais sept amies pour la vie : Mina, Agathe, Bettina, Romy, Lalie, Karine... et toi !

FIN

Les as-tu tous lus ?

Retrouve toutes les histoires de la Princesse Academy
dans les livres précédents.

Princesse Charlotte
ouvre le bal

Princesse Katie
fait un vœu

Princesse Daisy
a du courage

Princesse Alice
et le Miroir Magique

Princesse Sophie
ne se laisse pas faire

Princesse Émilie
et l'apprentie fée

Saison 2 : les Tours d'Argent

Princesse Charlotte
et la Rose Enchantée

Princesse Katie
et le Balai Dansant

Princesse Daisy
et le Carrousel Fabuleux

Princesse Alice
et la Pantoufle de Verre

Princesse Sophie
et le bal du Prince

Princesse Émilie
et l'Étoile des Souhaits

Princesse Charlotte
et la Fantaisie des Neiges

Princesse Alice
et le Royaume des Glaces

Saison 3 : le Palais Rubis

Princesse Chloé
entre dans la danse

Princesse Jessica
a un cœur d'or

Princesse Marie
garde le sourire

Princesse Olivia
croit au Prince Charmant

Princesse Maya
fait le bon choix

Princesse Noémie
n'oublie pas ses amies

Princesse Noémie
et la Serre Royale

Princesse Olivia
et le Bal des Papillons

Hors-série
Le Bal des Papillons

**Connecte-toi vite sur le site de tes héros préférés:
www.bibliotheque-rose.com
• Tout sur ta série préférée
• De super concours tous les mois**

Les as-tu tous lus?

Retrouve toutes les histoires de la Princesse Academy
dans les livres précédents.

Saison 4 : le Château de Nacre

Princesse Anna
et Noires-Moustaches

Princesse Isabelle
et Blanche-Crinière

Princesse Inès
et Plume-d'Or

Princesse Lucie
et Truffe-Caramel

Princesse Emma
et Sabots-Bruns

Princesse Sarah
et Duvet-d'Argent

Saison 5 : le Manoir d'Émeraude

Princesse Amélie
et le sauvetage
du petit phoque

Princesse Léa
et le trésor
de l'hippocampe

Princesse Rosa
et le mystère
de la baleine

Princesse Mélanie
et le secret
de la sirène

Princesse Rachel
et le bal
des dauphins

Princesse Zoé
et la cérémonie
du coquillage

Saison 6 : les Tours de Diamants

Princesse Mina
et le koala

Princesse Bettina
et le cochonnet

Princesse Karine
et l'agneau

Princesse Lalie
et le cochon d'Inde

Princesse Agathe
et le petit panda

Princesse Romy
et le lionceau

Princesse Flora
et le grand concours des fées